LA BARONNE DU JAZZ

Scénario Stéphane Tamaillon
Dessin Priscilla Horviller

STEINKIS

PRÉFACE DE FRANCIS MARMANDE

Nica de Koenigswarter, femme, trois fois femme

Le nom, l'allure, le visage, ces paupières stylées, les lèvres si douces, Nica de Koenigsvwarter, « *femme, trois fois femme* » (Musset), femme libre… Libre, plus que libre, en des temps qui ont haï la liberté… Sa beauté d'abord. Une beauté qui prosterne, comme dit l'archevêque ? Pas le moins du monde. Non : une beauté qui séduit, qui s'offre et qui s'oublie. La beauté d'affirmation.

Une beauté à se damner ? Pas du tout : une beauté d'amour, une beauté d'amour de la vie, la beauté du don d'amour pour les hommes, et parmi ces hommes, ceux que les États-Unis d'Amérique tiennent alors (espérons toujours que c'est moins vrai) pour des sous-hommes : les Afro-Américains, les Noirs d'Amérique, et parmi ces « *underdogs* » (Mingus), les plus indécents, les plus méprisés d'entre eux : les artistes.

Les artistes ? Oui, les musiciens, les inventeurs d'une des formes les plus hautes de l'histoire de la musique, les tenants de la deuxième Révolution de ce que l'Amérique appelle par dérision le « jazz » : Charlie « Bird » Parker, Thelonious Monk, Dizzy Gillespie, Gigi Gryce, Art Blakey, Bud Powell, cent autres, elle les a entendus à l'œil nu. Elle les a protégés sans se gêner. Dans sa Bentley blanche, en vison, elle se riait des flics qui n'y pigeaient rien, et fumait avec les héros miséreux de la Grande Musique afro-indienne d'Amérique sans s'en faire.

La Grande Musique afro-indienne d'Amérique ? Oui, l'honneur lynché du pays. Sa légende et son invention. Sa phrase unique, inouïe. Ceux que l'Amérique blanche et ses studios ravalent au nom pénible (et pourtant le plus joyeux) de « jazz ». Le « jazz », cette révolution sans précédent. Un arrachement. L'invention la plus haute, la plus déterminée, qui vient du blues, des prisons, des champs de coton ou des ragtimes. Cette première Révolution porte des noms : Louis Armstrong, Sideny Bechet, Duke Ellington, Coleman Hawkins… C'est si drôle une Révolution qui réussit. Tendez l'oreille sur la diction de Louis Armstrong, le phrasé d'Ella Fitzgerald, la langueur de Billie Holiday, l'articulation de Betty Carter, le cri d'Abbey Lincoln, et puis n'hésitez pas, branchez-vous sur CNN ou n'importe lequel des laïus de Trump, vous comprendrez tout. Vu ?

Le plus fort de cette Révolution réussie que les marchands, les malins et les malandrins agressent avec rage, c'est qu'une génération plus tard, une pléiade de génies la renverse, cette Révolution réussie, par pur amour d'elle, justement. René Char : « *Si tu détruis, que ce soit avec des outils nuptiaux.* »

Monk, Bird, Bud, Max, Miles, elle les a tous aimés, sans distinction de talent, la « race », cette abomination, c'était fait, Pannonica dite Nica. Elle les aura accompagnés, protégés, n'hésitant pas à se compromettre pour eux,

Et eux, comment lui auront-ils rendu cet amour sans calcul ?

Simple. Ils l'auront rétribuée en musiques de haut vol, avec leurs syncopes sidérantes pour qu'enfin une blanche ne vale plus deux noires…

Ils lui auront offert des chansons, des titres, des thèmes, des idées d'une beauté qu'on ne connaissait pas. Qu'on ne connaissait même pas dans le premier si fabuleux « jazz »…

Qui, sinon elle, fut dix fois plus célébrée, d'un hommage centuple, qu'une égérie de Pétrarque, Ronsard ou d'Aragon ? Veut-on des titres ?

« Pannonica », signé Monk (avec, excusez du peu, Sonny Rollins, Ernie Henry, Osar Pettiford et Max Roach…

Nica's Tempo de Gigi Gryce (Monk au piano, Percy Heath à la basse, Art Blakey aux drums)… Ou encore « Nica's Dream », la stupéfiante composition de Horace Silver… « Blues for Nica », de Kenny Drew (avec Paul Chambers, basse, et Philly Joe Jones, drums)…

Poursuivons, « Nica Steps Out » (Freddie Red)… « Theme for Nica » (Eddie Thompson)… « Tonica » (Kenny Dorham)… *Last but not least*, l'impensable « Nica » de Sonny Clark avec Geroge Duvivier (basse) et Max Roach (drums)…

Bouquet de ce feu d'artifice ? « Nicaragua » de son fidèle Barry Harris (pianiste), le seul à visiter Monk, Tournesol muet, chez elle, Pannonica de Koenigswarter, en sa maison du New Jersey qu'habitaient 122 chats…

Vous qui désespérez d'apprendre par où commencer, constituez-vous la discothèque des enregistrements qui portent son nom de Pannonica, elle existe au demeurant, en édition Deluxe, avec son image en couverture et sa voix si étrange et familière quand elle présente les titres et les musiciens.

Plus des photos prises par elle, de ses amis musiciens, ses amants célestes. Tant on n'aura pas la trivialité de trifouiller du côté de la béquille du sexe, elle n'a rien à voir en l'affaire, pas plus que celle des drogues et des joints… Elle continue d'émoustiller les pleutres, « les conférenciers de Bologne », pour mieux rater sa manière à elle de s'afficher en vison aux côtés des génies qu'elle avait élus. Elle était leur titre de noblesse. N'hésitant pas à rire aux larmes en Bentlley dans les rues de New York, en plein abject apartheid dont elle fut (nous sommes au début des années 1950) le contrepoint le plus éclatant. Les musiciens ne s'y trompaient pas. On les prend pour des virtuoses… Quelle honte… Ils marchaient à l'Idée : Marcus Garvey, James Baldwin, lutte pour les droits civiques, Little Rock, KKK…

Nica n'a rien d'excentrique. Rien de déjanté, comme vous aimez tant à psalmodier, avec une gourmandise assez veule. Non, non, non, trois fois non. Elle a vécu, flamboyante et gentille, comme nous devrions vivre. Comme nous devrions vivre, si nous aimions vraiment ces principes si difficiles à aimer : l'émancipation, la liberté d'être soi, l'égalité des droits, notamment civiques, l'affirmation des femmes… Et la reconnaissance de la musique.

Elle, elle savait. Elle savait de toute éternité. N'en parlait jamais. A-t-elle eu peur dans sa vie ? A-t-elle eu peur de sa vie ? A-t-elle eu jamais peur ? Eh bien non. La réponse est non. Et cette réponse est confondante, absurde, gênante. Gênante pour tous les apeurés aux mains nues qui la prendront, c'est plus commode, pour quelque drôlesse fantasque, fofolle extravagante, escort olé-olé, lors même qu'elle avait tout saisi, tout admis, tout aimé et tout donné.

Ancien élève de l'École normale supérieure de Saint-Cloud, agrégé de lettres moderne, titulaire d'un doctorat ès-lettres (Georges Bataille politique) et professeur émérite de l'université Paris 7 – Denis Diderot, où il animait le laboratoire « Littérature Au Présent » qu'il a fondé, il donnait des cours de lecture du roman et de musique (lecture principalement orientée vers le « jazz », son développement politique et esthétique…) On connaît **Francis Marmande** pour une vingtaine d'essais et récits, ses chroniques dans *Le Monde*, lesquelles ont toujours touché, sans choisir, à la littérature, la pensée, la musique et les taureaux. Il est contrebassiste (Berrocal, Bernard Lubat, Paco El Lobo, Archie Shepp…). Pilote d'avion et de planeur.

Baie d'Hudson, État de New York, États-Unis, décembre 1988.

Autour de minuit…

Miss freedom

This song is here to stay my friend, Just wait and see The people have made It part of jazz history...

You know, so it would seem... Everybody loves Nica's dream

The New York Times

30 novembre 1988

Jazz barones Panonnica De Koeniswarter dies at 74

OBITUARIES

...roness Pannonica de Koenigswarter dies at 74, ...Koenigswarter, a patron of jazz performers, ...d Wednesday of heart failure at Columbia-...erian Medical Center. ...She was 74 years old. ...er offered sustanance ...o many musicians who ...honis... Charlie Parker ...ome in 195... and the ...elonious Mon... lived the ...0 until his death in 1982. ...ental in helping Barry ...l Theater to survive. ...n of the Rothschilds, ...ess de Koenigswarter ...ted States in the early 1950's. As a teen-

...ager she had fallen in love with jazz, and she quickly became a part of the jazz world. She counted among her friends Charlie Rouse, who also died Wednesday; Coleman Hawkins, Tommy Flanagan, Barry Harris and many other important jazz musicians. They returned her affection: Mr. Monk wrote the tun

* *Nica's dream*, musique Horace Silver, paroles Dee Dee Bridgewater.

Tring Park Mansion, résidence de la famille Rothschild, Hertfordshire, Angleterre, octobre 1923.

Plus de 30 000 spécimens, oui.
Dont quelques espèces jusque-là inconnues.

Hélas ! Ces temps-ci
j'explore davantage les
cours de la Bourse que
ceux du Nil ou du Danube.

Pourquoi ne pas
laisser votre frère
gérer New Court*
quelque temps ?
Après tout, c'est
lui l'aîné.

Oh, vous connaissez Walter…

Il ne s'intéresse qu'au zoo qu'il a aménagé ici**.
Loin de ses kangourous, de ses zèbres ou
de ses émeus, il dépérirait bien vite.

…

Mais vous, vous ne vous
ennuyez pas de vos papillons ?

Si vous voulez bien m'excuser, je dois m'assurer
que tout est en ordre en cuisine.

* Branche anglaise de la banque Rothschild.
** Le Walter Rothschild Zoological Museum, rattaché en 1937 au musée d'histoire naturelle de Londres.

Charles, venez voir, M. Einstein va montrer un tour de magie aux enfants !

J'arrive dans un instant ma rose de Hongrie.

*Cheap : de pauvre qualité, peu coûteux. Jeu de mots avec *sheep*, qui signifie mouton.

Charles ?

Charles ?
Vous êtes là ?

Cimetière juif de Willesden, 13 octobre 1923.

אתא קיצד, ההיי, ואת אתא השיפוט מלאם שלד ואה ווד מצמי...

Quand même, partir ainsi,
c'est si inattendu…

Oh, pas tant que ça.

Que voulez-vous dire ?

Il y a longtemps que les choses ne tournaient plus rond
chez ce pauvre Charles.

J'avais évidemment entendu parler de son séjour dans
cette clinique suisse, mais j'étais loin d'imaginer…

La famille souhaitait demeurer discrète,
vous comprenez. C'est bien normal,
un homme dans sa position.

21

Ça, il en a vu défiler des charlatans.

Et pas n'importe qui. Il a même consulté ce psychanalyste, là, ce Freud, si à la mode de nos jours. Mais rien n'y a fait…

Alors, Charles est rentré au pays. Le pauvre a joué de malchance. À peine arrivé, il s'est retrouvé alité avec la grippe espagnole.

Quelle tristesse, sombrer ainsi dans la folie…

Ces derniers temps, il paraît qu'il pouvait passer des semaines sans prononcer un mot. Ses domestiques racontent que, la nuit, on l'entendait errer à travers le manoir comme une âme en peine.

À force de se marier entre cousins, aussi…

À quatorze ans, la petite Elizabeth – celle qu'ils appellent Liberty – est déjà malade des nerfs. C'est dire !

Moi, celle qui m'inquiète, c'est la plus jeune, Pannonica. Une véritable enfant sauvage. Sa mère se plaint qu'elle ne respecte rien ni personne.

Dis Miriam, pourquoi est-ce qu'on ne peut pas assister à l'enterrement de papa ?

Il n'y a que les hommes qui sont autorisés à participer aux funérailles.

Ça, c'est juste parce que je ne suis pas encore adulte.

Pourtant Victor est un garçon, lui, et il n'a pas eu le droit d'y aller non plus.

Mais, ce n'est pas juste. Papa, on l'aimait plus que tous ces bonshommes.

Eh bien, cette tradition, elle est complètement idiote !

Je suis désolée, Nica. C'est la tradition juive qui est comme ça.

MADEMOISELLE NICA !

Juin 1929.

MADEMOISELLE NICA !

Vous allez être en retard…

Mais je m'en fiche !

Votre préceptrice est arrivée.

On n'apprend jamais rien d'intéressant dans ses leçons. Après sept ans, je crois que j'en sais bien assez sur la couture et les bonnes manières.

Je passe par derrière. Si elle demande, je ne suis pas encore rentrée de ma promenade.

Ça ne ressemble pas à du Bach…
Qu'est-ce que c'est que c'est ?

Du jazz !
Une musique
qui fait fureur
aux États-Unis !

L'orchestre de Benny Goodman est à Londres pour
quelques jours. Je vais en profiter pour prendre
quelques leçons avec son pianiste,
Teddy Wilson.
Tu veux venir ?

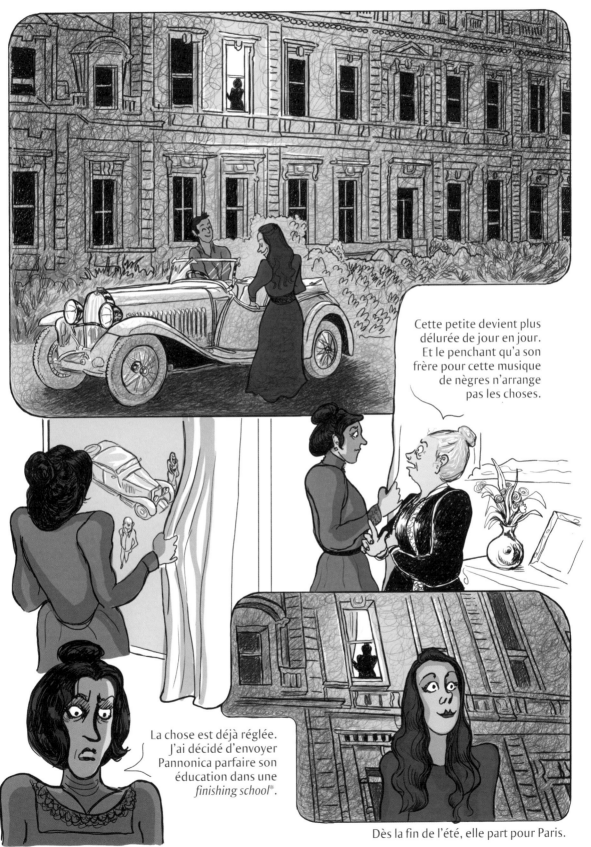

Cette petite devient plus délurée de jour en jour. Et le penchant qu'a son frère pour cette musique de nègres n'arrange pas les choses.

La chose est déjà réglée. J'ai décidé d'envoyer Pannonica parfaire son éducation dans une *finishing school**.

Dès la fin de l'été, elle part pour Paris.

* Une école de bonnes manières dont le programme s'étale sur une année.
Elle prépare les jeunes filles à suivre l'étiquette et à devenir de parfaites épouses.

33

C'est quoi ici ?
Un club de swing.
Vous voyez ces musiciens là-bas ?
Le batteur s'appelle Gene Bullard. Il était pilote durant la guerre. Maintenant, il gère l'endroit pour Joe Zelli.
Bullard est français, mais la plupart des autres sont d'anciens soldats américains.
Ils appartenaient aux *Harlem Hell Fighters*, une unité d'élite uniquement composée de noirs. Après la signature du traité de Versailles, ils ont choisi de rester en France. Et, si j'ai bien compris, en apportant cette drôle de musique.

Dis, Nica, tu penses faire quoi à ton retour en Angleterre ?

Maman cherche à me marier à un de nos riches cousins ou, si elle ne trouve pas quelqu'un dans la famille, à une personne de la bonne société avec un solide compte en banque.

Je préférerais faire comme ma grande sœur, Miriam, qui a tout quitté pour partir étudier la biologie marine en Italie.

Et tu es d'accord avec ça ?

Pas vraiment.

Tu veux devenir scientifique ?

Non, j'ai juste envie de faire mes propres choix. Mais, c'est mal parti. Maman n'acceptera pas qu'une autre de ses filles lui fasse le même coup.

Heureusement, j'ai réussi à obtenir un sursis. Je l'ai convaincue de me laisser effectuer un grand voyage à travers l'Europe. Liberty vient avec moi. Nous avons plein de projets…

Château de Ferrières, Seine-et-Marne.

Visiter mes cousins en France…

Spanish Riding School, Vienne.

Faire de l'équitation en Autriche…

Académie royale des Beaux-Arts, Munich, 1931.

Et même nous rendre en Allemagne pour y suivre des cours de peinture.

Sehr lustig, Günther* !

Je me demande ce qui les amuse comme ça.

Je crois qu'il est temps de rentrer à la maison.

Queen Charlotte's Ball, Grosvenor House, Londres, 1932.

Le Bal des débutantes de la Reine Charlotte est vraiment le point d'orgue de la « Saison ». Tu n'es pas d'accord, Pannonica ?

Je reconnais que c'est un honneur d'avoir été présentée au roi et à la reine, mais cette course au mariage me fatigue. Six mois à enchaîner les dîners, les bals et les goûters… Yeurk !

Tu n'as trouvé personne qui te plaise ?

Certains ne sont pas trop vilains à regarder, mais les garçons me trouvent souvent trop extravertie à leur goût. Et moi, je n'ai pas envie de changer juste pour leurs beaux yeux.

Heureusement, il y a de bons orchestres dans ces bals.

Hôtel Savoy, Londres.

Même si ce n'est pas exactement mon genre de musique…

Nica, tu connais Bob Wise ? Il joue du saxophone avec les Savoy Orpheans.

Enchantée…

Bob est aussi un pilote hors pair.

Victor exagère. Faire voler un avion, ce n'est pas si compliqué. Je pourrais vous apprendre si vous voulez.

Vraiment ?

Et pourquoi pas ? Cela pourrait m'être utile un jour, allez savoir !

Trois ans plus tard…
Hôtel Westminster, Le Touquet, France,
été 1935.

Ma chère cousine,
laisse-moi te présenter
le baron Jules
de Koenigswarter.

Un avion ?

Pas n'importe lequel. Le mien ! C'est un *Leopard Moth* dernier modèle.

J'adore ce nom*.

C'est magnifique !

* *Moth* peut se traduire par mite ou papillon de nuit.

48

49

New York, États-Unis, septembre 1935.

Liberty !

Nica, que je suis heureuse de te voir.

C'est Jules, nous allons nous marier.

À vrai dire, ça ressemblait plus à un ordre. Si Jules n'était pas banquier, il ferait un très bon militaire. Je le surnomme le commandant en chef.

C'est vrai ? Il t'a fait sa demande ?

Et tu es d'accord avec ça ? L'épouser, je veux dire.

Je crois bien que je suis amoureuse.

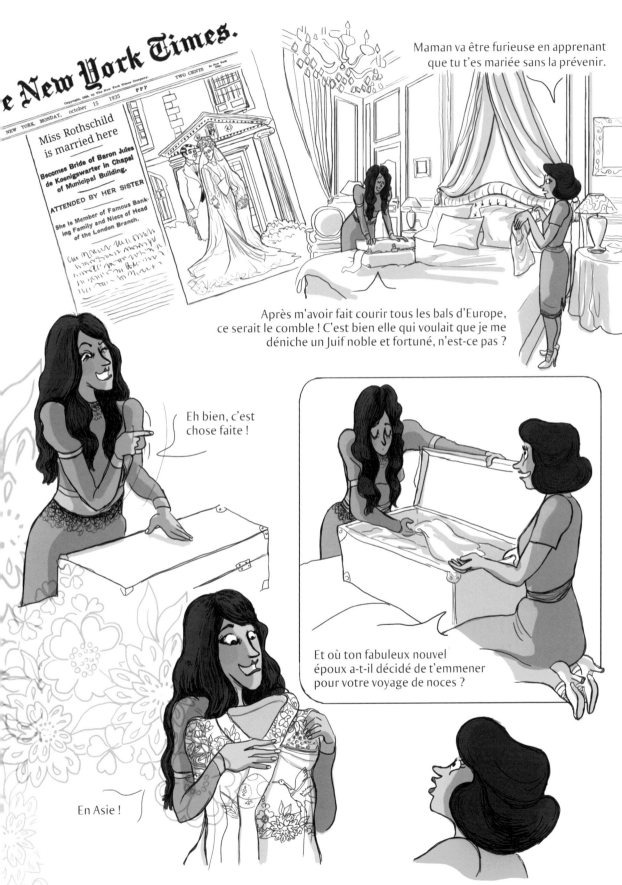

The New York Times.

Copyright, 1935, by The New York Times Company.

NEW YORK, MONDAY, october 15 1935   PPP   TWO CENTS

Miss Rothschild is married here

Becomes Bride of Baron Jules de Koenigswarter in Chapel of Municipal Building.

ATTENDED BY HER SISTER

She Is Member of Famous Banking Family and Niece of Head of the London Branch.

Maman va être furieuse en apprenant que tu t'es mariée sans la prévenir.

Après m'avoir fait courir tous les bals d'Europe, ce serait le comble ! C'est bien elle qui voulait que je me déniche un Juif noble et fortuné, n'est-ce pas ?

Eh bien, c'est chose faite !

Et où ton fabuleux nouvel époux a-t-il décidé de t'emmener pour votre voyage de noces ?

En Asie !

51

Pékin, Chine, quelques semaines plus tard…

Nous ne pouvions pas faire halte en Orient sans tester une de ces fumeries dont les récits d'aventures nous rebattent les oreilles.

Quand tu as proposé de m'expédier au 7e ciel, j'avoue que j'imaginais autre chose.

Mais si tu as envie d'un petit tour au-dessus des nuages, ça peut s'arranger.

Vraiment ?

Jules de Koenigswarter, tu es décidément imprévisible !

Ma foi, je crois que nous
en avons fini avec la Chine.
Que dirais-tu de partir
pour le Japon ?

Kobe, Japon.

花柳界の銭湯

Dans quel coin bizarre de la ville m'as-tu emmenée, espèce de voyou ?

On l'appelle le quartier rouge. L'ambassadeur me l'a recommandé comme un endroit à voir au moins une fois dans sa vie.

性風俗店

Mon Dieu ! Qu'est-ce que c'est que ça ?

Eh bien, ce sont des sortes de… jouets ?

風俗店

On fait un tour à l'intérieur ?

Et vous dites que ceux-ci sont musicaux ?

淫具

Hum… Ça ferait un formidable cadeau.

55

57

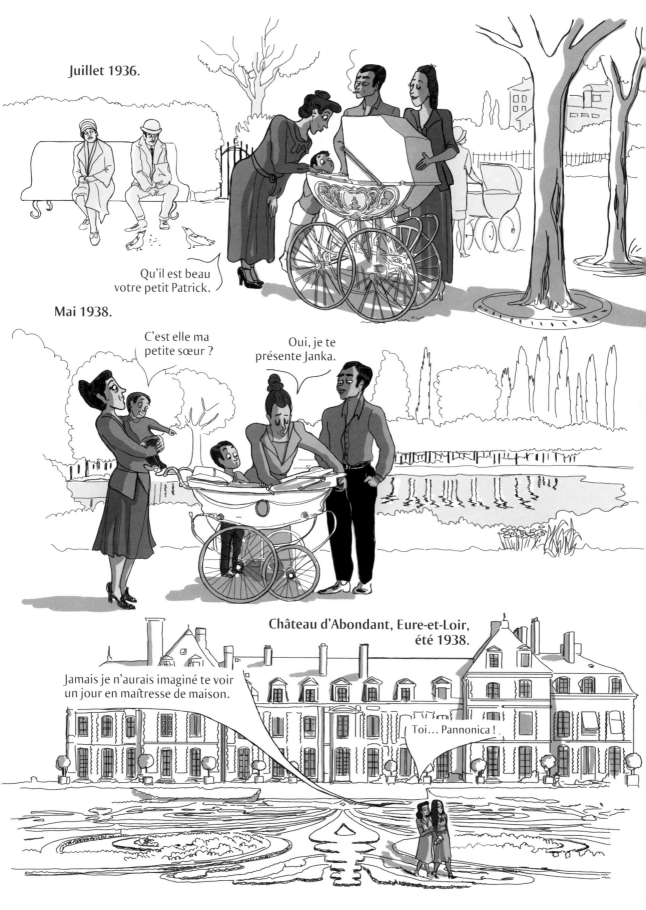

Londres, quartier de Mayfair, septembre 1938.

C'est gentil de m'inviter au restaurant.

Cela me fait plaisir, sœurette.
Il paraît que c'est une des meilleures
tables de la ville.

Alors, dis-moi tout, Môssieur le lord,
comment ça se passe pour toi au
Parlement* ?

Si tu veux
tout savoir,
pas très bien.
Je…

Pardonnez-moi, mais je suis dans l'obligation
de vous demander de partir.

Désormais,
la maison
ne sert plus
les gens…
hum…
comme
vous.

Hum !

* La Chambre des lords est, entre autres, composée de nobles, tels que les Rothschild, qui occupent de manière héréditaire leur siège au Parlement.

Qu'est-ce qui leur a pris à ces trois-là ?

Ce n'est pas qu'eux, c'est un mal qui commence à gangrener toute l'Europe.

Tu sais, Nica, les idées nauséabondes d'outre-Rhin ont le vent en poupe, même ici.

L'antisémitisme, c'est ça dont tu parles ?

Des mouvements favorables aux nazis naissent chaque jour en Angleterre.

Archibald Ramsay s'est empressé de fonder son Right club et l'Union des fascistes britanniques d'Oswald Mosley est déjà parvenue à embrigader certains de nos soi-disant amis, comme le duc de Westminster.

Sais-tu que Goebbels, le ministre de la propagande d'Hitler, nous a désignés tout particulièrement pour cible ?

Nous ? Tu veux dire, les Rothschild ?

Un film ignoble a été tourné. Il nous dépeint comme des parasites avides d'argent…

… qui ont bâti leur fortune en spéculant sur les guerres napoléoniennes.

Mais ces attaques ne sont rien comparé à ce que subissent les Juifs allemands depuis la promulgation des lois de Nuremberg.

À la Chambre, j'ai informé mes pairs de mon intention de lever des fonds pour aider ceux qui le souhaitent à quitter le territoire du Reich.

Alors, que t'a
dit le président
américain quand
tu l'as rencontré ?

Il m'a écouté
poliment et m'a assuré
qu'il ferait tout ce
qui est possible
pour accueillir
les réfugiés qui
demanderont
asile aux
États-Unis.

Rien de plus ?

Le directeur du FBI,
J. Edgard Hoover, m'a
également reçu pour
discuter des risques de
guerre chimique, mais
je ne sais pas s'il m'a
pris bien au sérieux.

La guerre
chimique ?

En 14-18, les Allemands ont diffusé des gaz de combat dans les tranchées. Pour l'instant, Hitler et ses sbires s'efforcent d'expulser tous les Juifs du pays, mais qu'arriverait-il s'ils décidaient d'utiliser contre eux quelque chose du même acabit ?

C'est impensable...

Les nazis ne négocient plus. Désormais, ils confisquent sans préambule les biens des Juifs. J'ai appris qu'Adolf Eichmann, un haut fonctionnaire en charge de la question juive, a établi ses quartiers dans notre palace familial de Vienne.

Je ne sais pas. Même les plus riches, qui se pensaient protégés par leur fortune, se retrouvent dans une situation difficile. Les nazis ont fermé la filière de la banque Rothschild en Autriche. Son directeur, notre cousin le baron Louis, vient juste d'être libéré contre une énorme rançon. Son argent l'a sauvé, mais ça ne durera pas.

Si la guerre venait à éclater, je crains le pire.

1er septembre 1939,
invasion de la Pologne
par l'armée allemande.

« Aujourd'hui, je suis conscient
de la grandeur de cette heure.
Ce sol fut occupé par les colons
allemands cinq siècles avant
cette époque.

Pendant un demi-millénaire,
ce sol fut ainsi allemand, est resté
allemand et, vous pouvez en être
convaincu, il restera allemand*. »

Tu étais vraiment obligé de t'engager avant
même d'être appelé ? La plupart de nos
domestiques ont déjà été mobilisés, et ça continue.
Je vais bientôt me retrouver toute seule avec les
enfants dans cette grande demeure.

J'ai tellement
peur qu'il t'arrive
quelque chose.

Ne t'en fais pas, ma chérie.
Je suis affecté à Bordeaux.
On m'a demandé d'y
superviser la construction
d'un radar antiaérien.
Je ne risque pas d'être
exposé au feu ennemi.
Le front est bien plus à l'est,
près de la ligne Maginot.

* Extrait du discours prononcé par Adolf Hitler à Dantzig le 19 septembre 1939.

Bordeaux,
mai 1940.

Vite, ces salopards ne sont pas loin derrière.

Eh ben, on dirait bien que c'est la débâcle…

18 juin 1940, quelque part au fond d'une cave…

Cette fois, la guerre est bel et bien finie.

Ce traître de Pétain est prêt à accepter toutes les conditions exigées par l'Allemagne.

« Le dernier mot est-il dit ? L'espérance doit-elle disparaître ? La défaite est-elle définitive ? Non !

Attendez un peu…

Moi, général de Gaulle, actuellement à Londres, j'invite les officiers et les soldats français qui se trouvent en territoire britannique ou qui viendraient à s'y trouver, avec leurs armes ou sans leurs armes, j'invite les ingénieurs et les ouvriers spécialistes des industries d'armement qui se trouvent en territoire britannique ou qui viendraient à s'y trouver, à se mettre en rapport avec moi…

Quoi qu'il arrive, la flamme de la Résistance française ne doit pas s'éteindre et ne s'éteindra pas*. »

Robert, mon vieux, demain on embarque pour l'Angleterre !

* Extrait du discours prononcé par le général de Gaulle le 18 juin 1940 à la radio de Londres, sur les ondes de la BBC.

Le Château d'Abondant, quelques jours plus tard…

Toujours pas, non. Je suis trop âgée pour courir les routes. Et puis, quelle image les gens auraient-ils de moi si je fuyais comme une voleuse ?

Vous n'êtes vraiment pas décidée à nous accompagner, Belle-maman ?

Mais moi, je suis une vieille femme. Ces Prussiens ne me feront aucun mal. Quel tort pourrais-je leur causer ?

Pour vous, c'est différent, il faut mettre les enfants à l'abri aux États-Unis comme l'a demandé Jules…

Il faut nous hâter, Madame. Les Allemands seront bientôt ici. Mon frère les a aperçus qui perquisitionnaient des fermes à une trentaine de kilomètres du château.

Juillet 1940, début de la Bataille d'Angleterre.

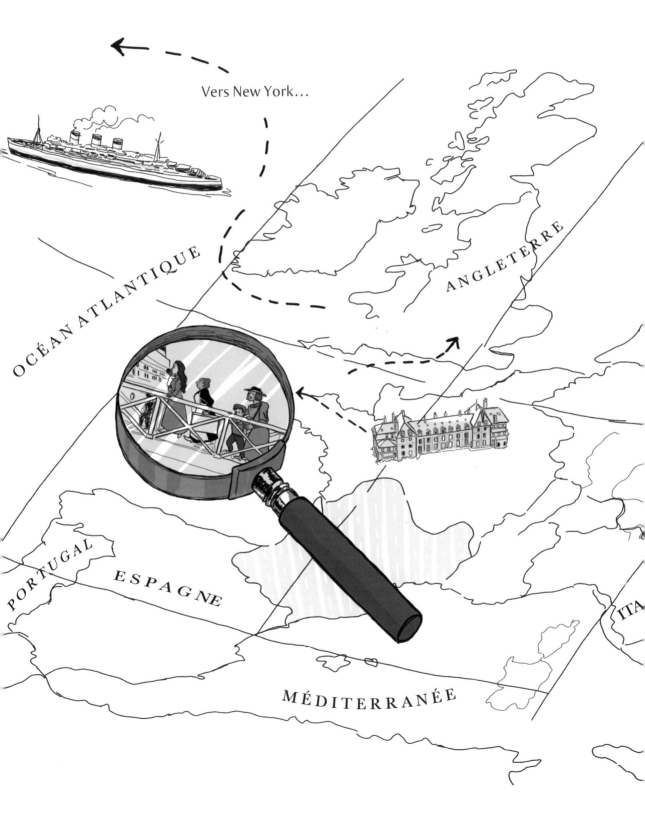

Vers New York…

OCÉAN ATLANTIQUE

ANGLETERRE

PORTUGAL

ESPAGNE

ITA

MÉDITERRANÉE

Quartier général des Forces françaises libres, Londres, Angleterre, août 1940. Bureau du général Koenig.

Mais vous êtes une femme, bon sang ! Pourquoi voulez-vous que je m'encombre d'une fichue bonne femme ?

Eh bien, comme le reste de ma famille, je pense pouvoir aider. Mon mari vient de rejoindre l'offensive alliée en Afrique…

Certes, mais…

Et mon frère travaille pour le MI5 où il coordonne le service de désamorçage des bombes…

Je sais cela, cependant…

Quant à ma sœur, Miriam, qui est aussi une femme à ce que j'en sais, elle a été assignée à Bletchley Park*…

D'accord, d'accord…

Je suppose que je pourrais vous trouver quelque chose à faire.

* Durant la Seconde Guerre mondiale, Bletchley Park hébergeait le site de décryptage des codes des forces de l'Axe. Miriam collabora avec Alan Turing pour déchiffrer celui de la machine allemande Enigma.

On y trouve tout un tas de bestioles venimeuses ou déterminées à vous croquer…

Comment est l'Afrique de l'Ouest ? Je ne connais que le Maghreb.

C'est un endroit dangereux. Et pas seulement à cause des Boches…

La chaleur vous fait fondre le crâne…

Sans oublier les moustiques.

Et la nourriture vous donne des crampes d'estomac…

Des saloperies grosses comme le poing qui vous refilent des putains de maladies.

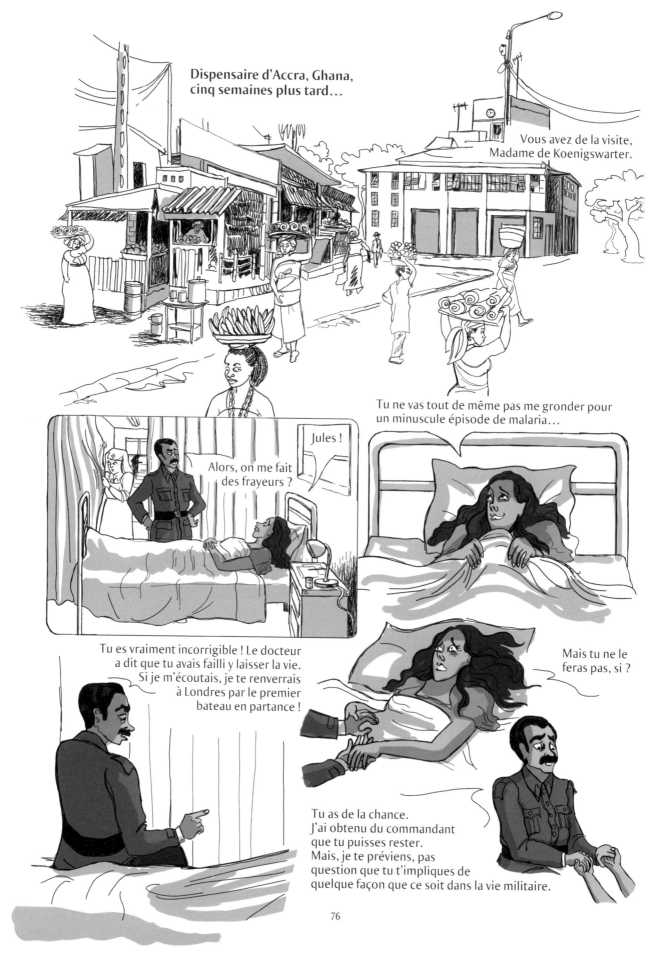

C'est Dizzy que
vous écoutez,
M'dame ?

Cour des Invalides,
Paris, hiver 1945.

Félicitations à tous les deux…

C'est plus longtemps que la tante Aranka.
Ces salauds l'ont traînée hors du train et battue
à mort à son arrivée à Buchenwald.

Parfois, je me dis que c'est une bénédiction que
maman soit morte sans avoir assisté à tout ça.

Comme je vous comprends.
Ma mère a eu tort de vouloir rester en France.
Elle n'a pas survécu à son séjour à Auschwitz.

Et comme si ça ne suffisait pas, nous avons perdu
l'essentiel de ce qui nous appartenait. La plupart
des biens immobiliers ont été pillés ou détruits,
les œuvres d'art dispersées aux quatre vents…

Bien sûr, il nous reste largement assez
pour vivre plus que dignement, mais notre
vie ne sera plus jamais la même désormais.

Hôtel Stanhope, New York, États-Unis, 1951.

« Je t'écris cette lettre pour t'annoncer que j'ai décidé de quitter Jules. »

« Je pensais que son amour et celui que je porte à nos enfants me suffiraient… »

« Mais malgré la naissance de nos trois derniers, rien n'a su réparer ce qui s'est brisé entre nous. »

« Les choses ont commencé à se dégrader en 1947, après sa nomination comme ambassadeur. »

« J'étais contente de le suivre en Norvège… »

« Beaucoup moins quand nous avons déménagé pour le Mexique, deux ans plus tard… »

« Tu me connais, les réceptions officielles m'ennuient… »

Et je n'ai jamais été très douée pour jouer la comédie. »

« Jules m'en a tenu rigueur et a commencé à multiplier les humiliations… »

« Brisant mes disques de jazz si j'osais être en retard pour dîner. Ce qui, il faut l'avouer, arrivait souvent. »

« Comble de l'ironie, jugeant que je ne quittais pas assez vite la table à la fin d'un repas officiel pour le laisser en compagnie de ses convives…

… Il lui est ensuite venu l'horrible idée de placer une ampoule en face de moi qu'il pouvait déclencher à distance pour me faire honte. »

« Pour ne pas craquer, il m'est arrivé très souvent de prendre le premier vol pour New York… »

« C'est là-bas que j'ai retrouvé Teddy Wilson. Tu te souviens de Teddy ? Il donnait des cours de piano à Victor quand j'étais adolescente. »

« Et d'aller y écouter la "musique de Nègres" sur laquelle crache volontiers Jules. »

« Il avait tout un tas de nouveaux disques à me faire écouter. C'était comme si j'avais seize ans à nouveau. »

« C'est à ce moment-là que j'ai su que je ne rentrerai pas à la maison. »

« Parmi ces enregistrements, il y en avait un vraiment spécial. Un morceau d'un jeune pianiste. J'ai demandé à Teddy de le rejouer, encore et encore. Plus de vingt fois de suite… »

Oh, mon petit Georges…

Vous autres, New Yorkais, vous ne savez pas vous amuser.

Allô ?

Teddy ?
Faire la nouba
à Birdland ?
Ce soir ?
J'arrive !

93

Tu ne l'es pas, toi, mégalo ? Allons Bird, tu viens tout juste de sortir un album intitulé « Charlie Parker » !

N'écoute pas ces jaloux, Nica. Si certains ne savent pas apprécier la subtilité de sa musique, je peux te dire, que ce soit comme frontman ou sideman, Monk fait carrément le job.

Alors, pourquoi est-ce qu'on ne le voit jamais traîner ici ou dans un autre des clubs de la 52e ?

Parce que cet idiot s'est fait serrer avec de l'herbe.

TING TING TING TING TING TING TING TING

C'était même pas la sienne, mais celle d'un de ses potes, Bud Powell.

Ils étaient ensemble quand la police a trouvé de la drogue dans leur caisse, mais Monk a refusé de balancer Powell. Il a prétendu que la dope était à lui.

Bref, Thelonious a tiré quatre-vingt-dix jours à Rikers Island*. Et surtout, ces bâtards ont fait sauter sa licence.

* Île de l'East River où se trouve la plus grande et la plus dure prison de New York.

Sa licence ?

La *cabaret card*.
Sans elle, impossible de jouer
dans les établissements qui servent de l'alcool.
C'est-à-dire à peu près tous les clubs de Manhattan.

Cette conversation m'a donné le
cafard. Vous ne voulez pas qu'on
continue la fête chez moi ?

Et il en a pour un moment avant qu'on la lui rende.

Sept piges, qu'il a pris. Autant dire qu'il est rincé.
Ça, c'est vraiment la taule, mec ! Enfermé entre les quatre
murs de son appart' sans pouvoir vivre de ta musique.

Qu'est-ce que c'est que ce raffut ?!

Il n'est même pas encore
5 heures, bon sang !

Silence !

Madame Nica !

Oh, Georges ! Vous n'allez pas
râler pour un peu de musique.
Apprenez à vous détendre.

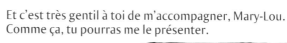

Aéroport international de New York, 1er juin 1954.

Et c'est très gentil à toi de m'accompagner, Mary-Lou.
Comme ça, tu pourras me le présenter.

Je n'arrive pas à croire que tu es prête à t'envoler pour
Paris juste pour entendre jouer Thelonious, Nica.

Nul n'est prophète
en son pays. Si Monk ne peut pas donner
de concert à New York, c'est formidable
qu'on l'invite à le faire ailleurs.

Oui, mais seulement une petite demi-heure entre les deux sets de
l'orchestre de Gerry Mulligan. C'est lui la véritable star du show.
Du coup, Monk a dû venir seul, sans ses musiciens.

Il va faire sa
représentation en solo ?

Non,
je crois que les
organisateurs lui
ont dégotté un
contrebassiste
et un batteur.

Je leur souhaite bonne chance à ces deux-là, parce que
digérer sa musique en quelques jours, ce n'est pas de
la tarte. Ses compositions sont terriblement complexes.

Tu vois, les gens n'en ont que pour Bird et
pour Dizzy, mais le véritable grand prêtre
du Bebop, c'est Monk.

PFUIIIIIIIIIII

HOOOOUUUUUU ! HOOOUUU !

Bon sang, mais qu'est-ce que tu nous as fait là ? C'était quoi ce solo ?

Le public n'a rien pigé, et nous non plus. Tu as entendu comment ils nous sifflent ?

Bah, ça, c'est sûrement parce que je ne suis pas assez moderne.

Pas assez mod… ?!

Tu te fous de nous ?

Mary-Lou ! C'est chouette que tu sois là !

Salut, Monk. Je voudrais te présenter une amie. C'est ta plus grande admiratrice.

Quartier de San Juan Hill, New York.

Bonjour, vous devez être Nellie ?

C'est bien ici que loge la famille Monk ?

Entrez, madame la Baronne. Thelonious m'a beaucoup parlé de vous.

Pas de chichis entre nous. Vous pouvez m'appeler Nica…

D'accord Nica. Lui, c'est Thelonious Jr. Mais tout le monde le surnomme Toot.

C'est toi la dame blanche qui est amoureuse de mon papa ?

Certains diraient qu'il est excentrique.

Et puis, comme Bird et ses autres copains, il boit trop d'alcool et prend beaucoup de drogues.

D'autres même qu'il est un peu fou…

Il s'attire pas mal d'ennuis à cause de ça.

Ne vous inquiétez pas, Nellie. Vous n'êtes plus seule à présent.

103

Hôtel Stanhope, 12 mars 1955.

Bonsoir Mesdames et Monsieur, je suis Jimmy Dorsey, et voici mon frère Tom…

Bird ? Qu'est-ce que tu fais là ? Je te croyais en concert à Boston.

Pas pu… Trop fatigué… Je savais pas où aller…

Repose-toi, j'appelle le docteur Freymann.

Hé ! C'est un Steinway ?

Tu parles qu'il me plaît ! Il sonne du feu de Dieu !

Tant qu'à changer d'hôtel, je me suis dit que je pourrais améliorer un peu mon intérieur. Il te plaît ?

Je l'ai acheté pour toi. Comme ça, tu pourras venir ici tous les jours travailler sur ton nouvel album.

Ça tombe bien, je suis justement en train de composer un petit truc. Écoute-moi ça.

Thelonious, ce morceau est magnifique !

Je l'ai appelé comme toi… « Pannonica. »

L'année prochaine, quand tu auras récupéré ta *Cabaret Card*, les gens feront la queue pour te voir jouer…

Tu passeras à la télévision en compagnie des plus grands…

Et maintenant dans *The Sound of Jazz*, le merveilleux Thelonious Monk !

Même les critiques vont t'adorer…

Manhattan, New York, Noël 1957.

Apparemment votre ami a perdu le contrôle de son véhicule.

Il a dérapé sur une plaque de verglas et est venu percuter une bouche d'incendie.

Un banal accident de voiture en somme. Rien d'inhabituel en cette saison.

Je vous l'accorde. Cependant, ce n'est pas l'accident qui est en cause, mais le comportement de Monsieur Monk…

Bien que ne souffrant d'aucune blessure visible, il est demeuré sans réaction face aux stimuli extérieurs, refusant de répondre quand on le questionnait.

Il s'est contenté de rester planté là, sans bouger d'un pouce.

Je ne saurais trop vous recommander de le surveiller de près. Il n'a plus toute sa tête.

Hum… On ferait probablement mieux
de continuer encore un peu.

Ici, ça devrait
faire l'affaire.

Je reviens tout de suite.

Vous pouvez m'expliquer ce que ça faisait dans la boîte à gants de votre voiture, madame ?

Je... Je ne sais pas ce que c'est...

Ah ? C'est sûrement que ça doit appartenir à vos copains, alors ?

Quoi ? Non ! Pas du tout. En fait... c'est à moi...

La... la drogue m'appartient. Mes amis ignoraient qu'elle se trouvait là.

Vraiment, hein ?

Vous raconterez ces bobards au tribunal.

Vous devez sacrément les aimer vos deux nègres pour les couvrir comme ça.

Vous êtes prête à entendre le verdict ?

Je ne l'ai jamais été autant qu'aujourd'hui.

Cour suprême du Delaware, 15 avril 1962.

Ce jour…

… est celui où mon futur se décide.

Libre, je suis libre…

Oui, heureusement que cet imbécile de policier n'a pas pensé à demander un mandat pour fouiller ta voiture. Ce vice de procédure t'a sauvé la mise.

Tu vas enfin pouvoir revivre !

Sa santé ne s'améliore pas. Il a fait un nouveau séjour à Bellevue.

Oui, et m'occuper pleinement de Thelonious…

Et comme si ça ne suffisait pas, mon hôtel vient encore de me flanquer dehors.

Je crois que j'ai une solution à ton dernier problème.

63 Kingswood Road Weehawken, New Jersey.

Alors, ça te plaît ?
Je l'ai acheté pour toi.

Allons Nica, c'est le troisième
dont tu te fais expulser.
Cela serait même arrivé avant
si je n'étais pas intervenu.

Une maison ? Qu'y a-t-il de si
mal à vivre à l'hôtel ?

Apparemment les autres résidents ne
supportaient plus ton tapage nocturne.

Ce sont des idiots. Avoir la chance
d'entendre jouer les plus grands
jazzmen et s'en plaindre !

Quels ingrats ! Qui n'apprécierait pas d'être réveillé
à 4 heures du matin par un big band ?

* Dans l'argot du jazz, les musiciens sont surnommés les chats, *cats* en anglais.

Oui, tu as raison…

Je pourrais me plaire ici.

San Francisco, mai 1968.

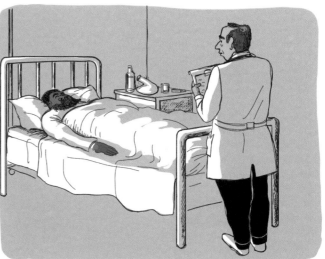

Mmh...

Docteur !

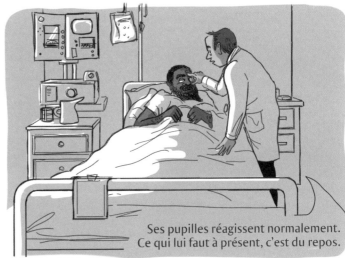

Ses pupilles réagissent normalement.
Ce qui lui faut à présent, c'est du repos.

Tu nous a causé une belle frayeur !

Nous avons cru que…

AH ! AH ! Vous pensiez
que j'allais casser
ma pipe, pas vrai ?

Eh non !
Pas ce vieux salaud de Monk.
Pas moi !

En tout cas, fini les bêtises !
Plus d'alcool, plus de drogues et plus de cette
nourriture trop grasse dont tu te bâfres.

Une fois à la maison,
je te mets au régime.

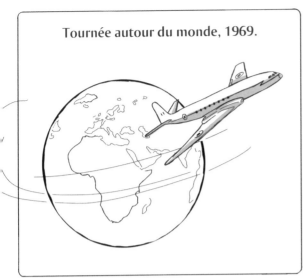

Tournée autour du monde, 1969.

Paris.

Francfort.

Manchester.

Amsterdam.

San Francisco.

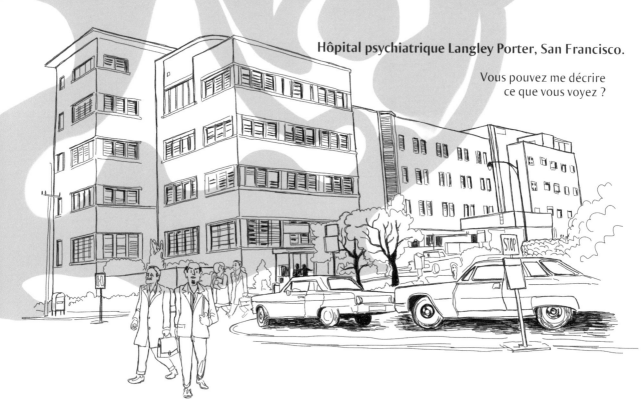

Hôpital psychiatrique Langley Porter, San Francisco.

Vous pouvez me décrire
ce que vous voyez ?

C'est juste une putain de tache d'encre, mec.

Nous lui avons fait passer un électroencéphalogramme et les résultats ne sont pas très encourageants.

C'est-à-dire ?

Ils démontrent que son cerveau a subi de sévères altérations, certainement en raison de sa consommation immodérée de drogues depuis de si nombreuses années.

Et comment peut-on agir ?

Ses antécédents familiaux semblent également attester de troubles psychiques qui laissent penser à une forme rare de schizophrénie.

Je lui ai d'ores et déjà prescrit des antipsychotiques, mais dans son cas je crains que ce ne soit pas suffisant.

Il faudrait envisager un traitement plus poussé.

Village Gate Club, Greenwich Village, New York, janvier 1972.

Jouer du piano ?

Non.

Je n'ai plus envie.

De quoi as-tu envie, alors ?

Si tu devais faire trois vœux…

Ce serait quoi ?

146

17 février.

Église Saint Pierre,
Lexington avenue,
New York,
23 février.

Non, attendez !

Nellie, je t'en supplie.
Laisse-moi prendre la tête
du cortège avec la
Bebop Bentley.

C'est ce que Thelonious
aurait voulu. Ce n'est
pas que ma voiture,
mais aussi la sienne et celle
de tous les musiciens.
La voiture du jazz !

Maman, peut-être qu'on pourrait...

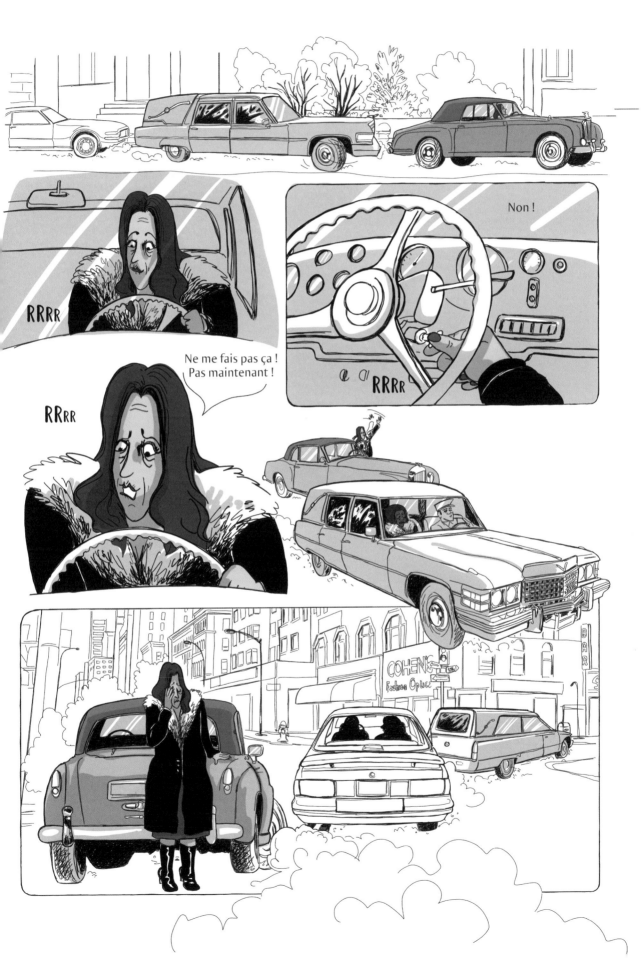

1988.

Une dernière question et j'aurais terminé, Madame de Koenigswarter.

Vous qui avez vécu tant d'évènements marquants du XXᵉ siècle, connu la guerre et le retour à la paix, voyagé autour du monde, côtoyé les plus grands jazzmen auxquels vous avez inspiré une vingtaine de compositions…

Quel est pour vous le but de l'existence ?

Eh bien, jeune homme…

Je vais vous répondre ce que Thelonious Monk a un jour répondu à un de vos confrères qui lui posait la question…

« Le but de l'existence ? » Thelonious a-t-il demandé.

« C'est mourir, bien sûr. »

Un papillon rebelle peut-il se montrer différent de tous les autres ? Muse et protectrice du mouvement be-bop, dont Monk était le grand prêtre, Pannonica célébrait, avec Dizzy, Bud, Bird et tous les autres, un rituel nocturne sur la 52e rue, développant un nouveau langage, délibérément difficile et réservé à quelques initiés, qui a définitivement changé le cours de la musique. Les plus grands compositeurs de jazz lui ont consacré une vingtaine de thèmes, des titres qui sont encore joués et enregistrés dans le monde entier. Le papillon est vivant, il vole toujours. Nica est un mythe.

Francesco Bearzatti

Saxophoniste et clarinettiste, **Francesco Bearzatti** a notamment collaboré avec le batteur Ben Riley, partenaire historique de Thelonious Monk, et enregistré *Monk'n'roll*, un album hommage au légendaire pianiste.

www.francescobearzatti.com

ÉCOUTEZ LA PLAYLIST DE
LA BARONNE DU JAZZ
SUR SPOTIFY !

REMERCIEMENTS

Un grand merci à Priscilla qui n'a pas compté
son temps et son énergie au service de ce projet,
à Élisabeth et aux éditions Steinkis qui nous ont fait confiance,
à Francesco Bearzatti pour son soutien,
sans oublier Pannonica, Monk, Bird, Art Blakey
et tous les magiciens du jazz pour nous
avoir offert une si belle histoire à raconter.

Stéphane Tamaillon

Un grand merci à Stéphane de m'avoir fait confiance
et d'avoir été présent à toutes les étapes de ce projet.
Merci à Élisabeth, à Steinkis et, bien sûr,
à Nica à laquelle j'ai fini par m'identifier au point
de trouver dans sa vie des échos à la mienne...

Priscilla Horviller

D'AUTRES HORIZONS EXPLORÉS PAR STEINKIS

Si vous avez aimé *La Baronne du jazz* :

Avery's blues, Angux, Tamarit
En attendant Bojangles, Ingrid Chabbert, Carole Maurel
Leda Rafanelli – La gitane anarchiste, Sara Colaone, Francesco Satta, Luca de Santis
Redbone, Christian Staebler, Sonia Paoloni, Thibault Balahy
Salinger – Avant l'Attrape-Cœurs, Valentina Grande, Eva Rossetti
Sissi – Une femme au-delà du conte de fées, Giorgia Marras
Symphonie Carcérale – Petites et grandes histoires des concerts en prison, Romain Dutter, Bouqé

Aïvali – Une histoire entre Grèce et Turquie, Soloúp
Amazigh – Itinéraires d'hommes libres, Cédric Liano, Mohamed Arejdal
Anent – Nouvelles des Indiens jivaros, Alessandro Pignocchi
Anna Politkovskaïa – Journaliste dissidente, Francesco Matteuzi, Elisabetta Benfatto
Au bord du monde, Patrick Clervoy, Samuel Figuière
Baddawi – Une enfance palestinienne, Leila Abdelrazaq
Banana Girl, Kei Lam
Black in White America, Leonard Freed
Break – Une histoire du hip-hop, Florian Ledoux, Cédric Liano
Café Budapest, Alfonso Zapico
Canal Mussolini, Graziano et Massimiliano Lanzidei, Mirka Ruggeri
Chronique du 115 – Une histoire du Samu social, Aude Massot
Comment comprendre Israël en 60 jours (ou moins), Sarah Glidden
Conduite interdite, Chloé Wary
Cynthia, Leo Ortolani
Darkroom – Mémoires en noirs et blancs, Lila Quintero Weaver
Écumes, Ingrid Chabbert, Carole Maurel
From Black to White, Louis, Clément Baloup
Ghetto Brother – Une légende du Bronx, Julian Voloj, Claudia Ahlering
Gitans, Kkrist Mirror
Guarani – Les enfants soldats du Paraguay, Diego Agrimbau, Gabriel Ippóliti
Guerilla Green – Guide de survie végétale en milieu urbain, Ophélie Damblé, Cookie Kalkair
Jan Karski – L'homme qui a découvert l'holocauste, Marco Rizzo, Lelio Bonaccorso
Je suis encore là-bas, Samir Dahmani
Jolis sauvages – Une année sans école, Lise Desportes
K.O. à Tel Aviv, Asaf Hanuka (3 tomes et une intégrale)
Kilum – Rencontre avec les Himbas, Vincent Lemonde, Samuel Figuière
K.Z. – Dessins de prisonniers de camps de concentration nazis, Arturo Benvenuti
Là où se termine la terre - Chili 1948-1970, Désirée et Alain Frappier
La cosmologie du futur, Alessandro Pignocchi

L'Algérie c'est beau comme l'Amérique, Olivia Burton, Mahi Grand
Les aventuriers du cubisme, Julie Birmant, Pierre Fouillet
Le bruit de la machine à écrire, Hervé Loiselet, Benoît Blary
L'Écolier en bleu, Fabien Grolleau, Joël Legars, Anna Conzatti
L'espion qui croyait, John Hendrix
Le goût de la papaye, Elisa Macellari
Le grand désordre – Alzheimer, ma mère et moi, Sarah Leavitt
L'Homme de la maison, Dave Chua, Koh Hong Teng
Manouches, Kkrist Mirror
Mercredi, Juan Berrio
Mon truc en plus, Noël Lang, Rodrigo Garcia
Munch avant Munch, Giorgia Marras
Nengue – L'histoire oubliée des esclaves des Guyanes, Stéphane Blanco, Samuel Figuière
Ossi – Une vie pour le football, Julian Voloj, Marcin Podolec
Pas de retour en Ostalgie, Wanda Hagedorn, Jacek Fras
Pénis de table – Sept Mecs racontent tout sur leur vie sexuelle, Cookie Kalkair
Petit traité d'écologie sauvage, Alessandro Pignocchi
Péyi an nou, Jessica Oublié, Marie-Ange Rousseau
Planète Football, Pascal Boniface, David Lopez
Plus profond que l'océan – Souvenirs d'un émigré, Laïla Koubaa, Laura Janssens
Primo Levi, Matteo Mastragostino, Alessandro Ranghiasci
Prisonniers du passage, Chowra Makaremi, Matthieu Pehau Parciboula
Refuznik – URSS : l'impossible départ, Flore Talamon, Renaud Pennelle
Rouge passé – Histoire d'une rédemption, Gonzague Tosseri, Nicola Gobbi
Si je t'oublie Alexandrie, Jérémie Dres
Tante Wussi – Histoire d'une famille entre deux guerres, Katrin Bacher, Tyto Alba
The Forgotten Man – Nouvelle histoire de la Grande Dépression, Amity Shlaes, Paul Rivoche
Tombé dans l'oreille d'un sourd, Audrey Levitre, Grégory Mahieux
Tsiganes, Kkrist Mirror
Tu pourrais me remercier, Maria Stoian
Un bébé nommé désir, Fanny Lesbros, Pauline Aubry
Une saison à l'ONU – Au cœur de la diplomatie mondiale, Karim Lebhour, Aude Massot
Varto – 1915, deux enfants dans la tourmente du génocide des Arméniens,
Gorune Aprikian, Stéphane Torossian
Vietnamerica, GB Tran
Village global, David Lessault, Damien Geffroy
War is boring – Correspondant de guerre, David Axe, Matt Bors

Un ouvrage proposé par Élisabeth Haroche
Lettrage et réalisation, intérieur et couverture : Clair Obscur

Crédits photo p. 154 : Thelonious Monk et Pannonica de Keonigswarter au Five Spot Cafe © Getty Images.

ISBN 978·2·36846·275·1
Achevé d'imprimer par OZGraf (Pologne)
Dépôt légal : Janvier 2020

Steinkis
31, rue d'Amsterdam
75008 Paris
www.steinkis.com

« Les hommes construisent trop de murs et pas assez de ponts. »
Isaac Newton